Mae'r bysedd yn llonydd ar wyneb y cloc.
Does yna ddim sŵn – dim tic na dim toc.
Mae Jac y Jwc druan, a'i fochau yn goch,
Yn methu â gwybod faint yw hi o'r gloch.
Mae'n rhythu a syllu mewn syndod gan ddweud,
"Beth sydd yn bod? Beth alla i wneud?"
Ond Jac y Jwc sydd, yn ei holl ffwdan mawr,
Wedi gosod y cloc â'i ben i lawr.

Cnocio fan yma, cnocio fan acw,
Hoelion a mwrthwl i Nicw Nacw.
Tacw a tici, a tici a tacw,
Hoelion a mwrthwl i Nicw Nacw.

Mae Clown Tew'n neidio ar ben bin
A'r bin yn hollti'n ddau fel hyn.
Mae Clown Tew ffôl â'i goesau cam
Yn fflat ar lawr fel brechdan jam.

Jac y Jwc a Jini
Yn bwyta roli poli,
A dyna'r pwdin gorau un
Gan Jac yw roli poli.

Dau fwgan brain yn ymyl y wal,
Bwgan Brain Byr a Bwgan Brain Tal.
Y gwynt oer yn chwythu ar Bwgan Brain Tal,
Bwgan Brain Byr yn cael cysgod y wal.

Sosban a llwy a mop golchi llestri
Yn dod gyda'i gilydd i gael te yn y caffi.
Roedd dyn wrth y cownter yn bwyta ei jeli,
Yn bwyta a bwyta dysglaid o jeli.
"Wel, dyna beth od," meddai'r dyn bwyta jeli,
"Fod sosban a llwy a mop golchi llestri
Yn dod gyda'i gilydd i gael te yn y caffi."
Roedd y dyn wedi dychryn, a'i glustiau yn codi,
A syrthiodd ei sbectol i ganol ei jeli.
Ac wedyn roedd pawb yn chwerthin a gweiddi
Am fod sosban a llwy a mop golchi llestri
Wedi dod gyda'i gilydd i gael te yn y caffi,
A sbectol y dyn wedi syrthio i'w jeli.

Esgidiau mawr i Jac y Jwc,
Esgidiau bach i Jini.
Mae traed mawr, mawr gan Jac y Jwc.
Mae traed bach, bach gan Jini.

"Helô, helô, sut ydych chi heddiw?"
"Helô, helô, a sut ydych chi?"
Mae Hwyaden yn hoffi Dwmplen Malwoden,
Ac mae Dwmplen Malwoden yn ei hoffi hi.

Mae Liwsi yr ŵydd yn busnesa o hyd,
Yn stopio'r holl draffig heb falio dim byd.
Mae'r bobol yn sgrechian,
A phawb yn ei hysian,
A rhai wedi rhedeg i ddweud wrth y plisman,
Ond dal i fusnesa mae Liwsi o hyd.

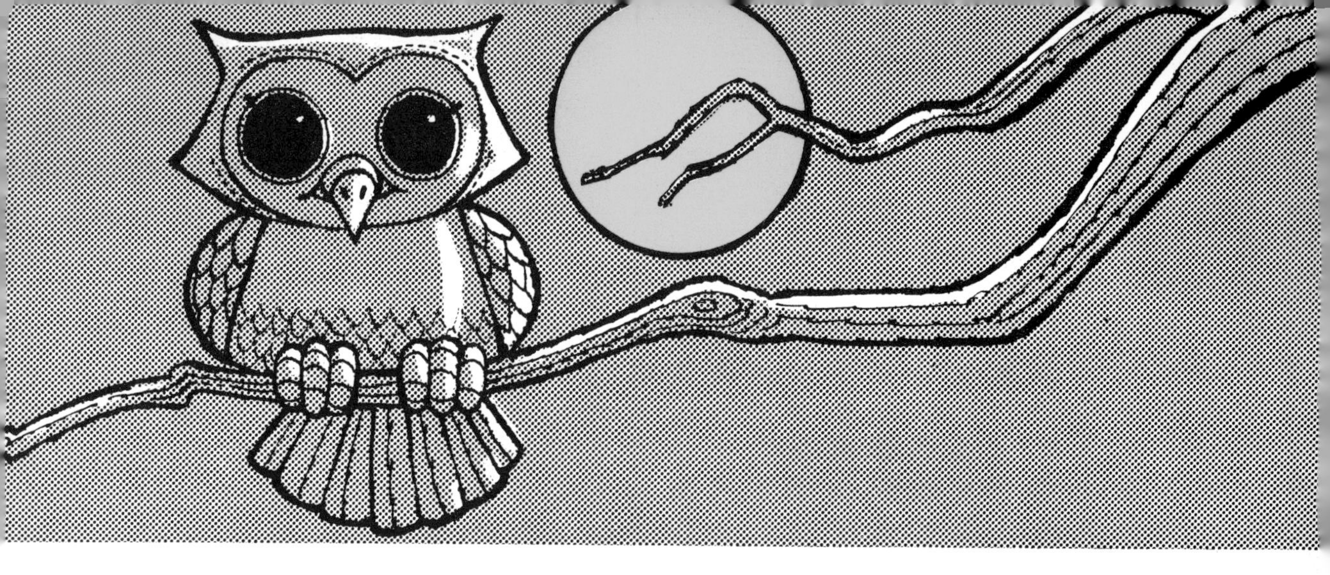

Mae pob man yn ddistaw ynghanol y nos,
Mae pob man yn dywyll ynghanol y nos,
Ond mae Dwmplen Malwoden a Jemeima Mop
Yn iawn yn yr ysgol trwy gydol y nos.

Mae’r llygod yn gwichian ynghanol y nos,
A’r gwdihŵ’n sgrechian ynghanol y nos,
Ond mae Dwmplen Malwoden a Jemeima Mop
Yn iawn yn yr ysgol trwy gydol y nos.

Un hen lwynog,
Ac un hen flaidd,
Ac un hen lew tew, tew
Yn mynd yn ddistaw bach trwy'r coed,
Yn mynd yn ddistaw bach trwy'r coed,
Hen lwynog, hen flaidd a hen lew.

Un hen lwynog,
Ac un hen flaidd,
Ac un hen lew tew, tew
Yn mynd at nyth y gwdihŵ,
Yn mynd at nyth y gwdihŵ,
Hen lwynog, hen flaidd a hen lew.

"Fe bigaf y tri," meddai'r gwdihŵ,
"Y llwynog a'r blaidd a'r llew."
Ac fe bigodd drwyn y llwynog a'r blaidd
A thrwyn yr hen lew tew, tew.

Un hen lwynog,
Ac un hen flaidd,
Ac un hen lew tew, tew
Yn gweiddi a rhedeg allan o'r coed,
Yn gweiddi a rhedeg allan o'r coed,
Hen lwynog, hen flaidd a hen lew.

Twm a Ben y llanciau
Yn mynd i Rydypennau
I brynu oel i'r motor-beic
A helmet am eu pennau.

Twm a Ben y llanciau
Yn gwibio hyd y llwybrau,
Dau fotor-beic yn clecian mynd,
A sŵn a mwg o'u holau.

TWM
BEN

Gwyddau Guto yn y dref
Yn cerdded lincyn loncyn,
O stryd i stryd yn hapus braf,
Yn cerdded lincyn loncyn.
Ond dyma sŵn a rhuthro mawr,
Sŵn gweiddi a sŵn dwrdio.
A Liwsi'n rhedeg lawr y stryd,
A'r cigydd wedi gwylltio,
A'r cigydd wedi gwylltio.

Dyn Bach Banana,
Un rhyfedd yn wir,
Ei goesau yn fyr
A'i freichiau yn hir,
Ei lygaid yn sgwâr
A'i wddw yn grwn.
Dyn Bach Banana,
Un rhyfedd yw hwn.

Mae Gwenynen yn hedfan at Dwmplen Malwoden,
A Dwmplen Malwoden yn crynu'n ei chragen.
Ond does dim lle i neb yn y gragen,
Dim lle i neb ond Dwmplen Malwoden.
Dyna lwc nad oes lle i Gwenynen gwenynen
I mewn yn y gragen gyda Dwmplen Malwoden.

Cerdded tuag adref yn rhibidirês,
Guto a’r gwyddau yn rhibidirês,

Y naill ar ôl y llall yn rhibidirês,
Cerdded tuag adref yn rhibidirês.

Deg o Ddynion Bach y Grisiau
Yn mynd ar wib i Wlad y Fflwffiau.
Lle rhyfedd iawn yw Gwlad y Fflwffiau,
Mae'r dydd yn nos a'r nosau'n ddyddiau.
Mae pawb yn yfed te o fflasgiau,
A byth yn bwyta dim ond crystiau.
A brysio'n ôl o Wlad y Fflwffiau
Wnaeth deg o Ddynion Bach y Grisiau.

I fyny i'r mynydd y daw Jac y Jwc,
A Sioncyn y Gwair yn ei weld o, wrth lwc.
I lawr ac i fyny daw traed Jac y Jwc,
Ond mae Sioncyn y Gwair yn dianc, wrth lwc.

Beth sydd yn y parsel mawr
Yn newydd sbon i Nicw Nacw?
Rwy'n meddwl ac yn meddwl beth
Sydd yn y bocs i Nicw Nacw.

Fe ddaeth yn y nos heb siw na miw,
Pan oeddwn i'n cysgu heb siw na miw.
Daeth eira i guddio'r tu allan i gyd,
A finnau'n y gwely heb wybod dim byd.

A glywsoch chi sôn am gar Bili Jam?
Wel, dyna i chi gar ydi hwn.
Am olwyn y gyrrwr i lywio y car –
Mae honno yn sgwâr yn lle'n grwn.
Mae'r petrol ar drelyr y tu ôl i'r car,
A'r trelyr yn uchel o'r llawr.
Y petrol yn rhedeg o'r trelyr i'r car
Trwy bedair pêl rygbi fawr.
Sosbannau o'r gegin yw lampau y car,
Mae'r ffenestri yn feddal a llac.
Peiriant recordio sy'n newid y gêr
Ac mae'r teiars i gyd ar y rac.

Mae'r bobol yn chwerthin – fe wyddoch chi pam –
Pan fyddan nhw'n edrych ar gar Bili Jam.

PETROL

Doli Glwt sydd wedi syrthio
I mewn i'r bath, a dechrau crio.
Mae yn y dŵr, o dan y trochion,
A'i chorff yn wlyb gan ddŵr a sebon.
Fe'i rhown hi yn y gwynt i siglo,
Daw Doli Glwt i wenu eto.

Dringo i fyny i'r awyren jet,
Mami a Dadi a Nicw Nacw.
Mynd ymhell bell mewn awyren jet,
Mami a Dadi a Nicw Nacw.

Dyn bach od yn byw'n Ro Wen
Yn gwisgo cragen am ei ben.
Dyn bach arall yn Llandudno
A'i sgidiau cul yn gwasgu'i draed o,
Aw Aw Aw